Una carta muy rara

G000025004

RODRIGO BREGEL

PIZCA DE SAL

1.ª edición: marzo 2010
3.ª edición: enero 2012

Dirección de la colección: Olga Escobar

© Del texto: Ana Alonso, 2010
© De las ilustraciones: Antonia Santolaya, 2010
© De las fotografías de cubierta: Archivo Anaya
© Grupo Anaya, S. A., Madrid, 2010
Juan Ignacio Luca de Tena, 15. 28027 Madrid
www.anayainfantilyjuvenil.com
e-mail: anayainfantilyjuvenil@anaya.es

Diseño de cubierta:
Miguel Ángel Pacheco y Javier Serrano

ISBN: 978-84-667-8491-7
Depósito legal: M-3212-2012
Impreso en Anzos, S.L.
La Zarzuela, 6
Polígono Industrial Cordel de la Carrera
Fuenlabrada (Madrid)
Impreso en España - Printed in Spain

Las normas ortográficas seguidas en este libro son las establecidas
por la Real Academia Española en su edición de la *Ortografía* de 1999.

Ana Alonso

Una carta muy rara

**Ilustraciones
de Antonia Santolaya**

Para mi sobrino Pablo, que adora a los Reyes Magos.

A. ALONSO.

¿Conocéis a Lut, el mago de las palabras? Tiene los ojos azules y el pelo largo y castaño. Usa unas gafitas de oro muy graciosas. Su túnica azul está adornada con estrellas, lo mismo que su enorme gorro puntiagudo.

Siempre está viajando por el mundo, así que, a lo mejor, algún día te lo encuentras en la calle.

Y si te encuentras con Lut, seguro que también conocerás a Mara. Es su mejor amiga, y le acompaña en todos sus viajes. Mara es una mascota mágica.

Le gusta cambiar de forma. Unas veces se parece a un perro y otras a un cocodrilo. También puede disfrazarse de gallina o de ratón. Y de otras cosas aún más raras…

Lut y Mara se dedican a ayudar a la gente que tiene problemas con las palabras. Ayudan a todo el mundo: a las personas, a los duendes, a los animales y hasta a las brujas. Pero hoy están un poco

nerviosos, porque han recibido una visita muy especial: han venido a verlos los Reyes Magos… ¡Los Reyes Magos en persona! ¡Y solo falta una semana para Navidad!

Sus Majestades esperan en el jardín
de Lut. No quieren entrar en la casa para
no dejar solos a sus camellos. El mago
sale a recibirlos a toda prisa. No estaría
bien hacer esperar a los Reyes Magos, con
lo ocupados que están.

—Mis queridas Majestades, ¿en qué puedo ayudaros? —les pregunta haciendo una gran reverencia—. ¿Necesitáis alguna palabra mágica que os ayude a repartir los juguetes? Porque la noche del seis de enero vais a tener mucho trabajo...

—¡Estamos acostumbrados! —dice Melchor—. Y no necesitamos ninguna palabra mágica para eso. Nosotros también somos magos, ¿recuerdas?

—¿Es que crees que, después de tantos años, se nos ha olvidado cómo hacer nuestro trabajo? —añade Gaspar un poco enfadado.

Lut se rasca la cabeza, confundido.
Mara, mientras tanto, se ha convertido
en una dromedaria azul, y está charlando
animadamente con los camellos.

    —Perdonadme, Majestades —dice
Lut—. Ya sé que, además de ser reyes,
sois magos. Si no, no podríais repartir
los regalos de los niños por todo el

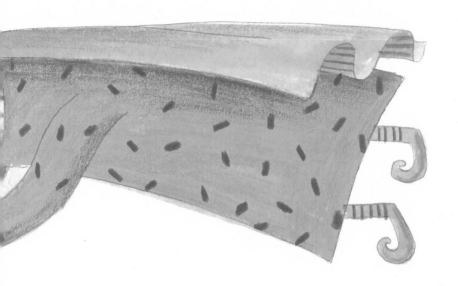

mundo en una sola noche. Pero, si
no necesitáis mi ayuda, ¿para qué
habéis venido?

—¿Y quién ha dicho que no
necesitemos tu ayuda? —pregunta
Baltasar—. Sí la necesitamos. Tú eres
el mago de las palabras… y las palabras
no son nuestra especialidad.

—Verás, Lut. Tenemos un problema
—explica Melchor, sacando un sobre del
bolsillo de su manto—. ¿Ves esta carta?

Lut mira el sobre. Tiene un sello
pegado, y va dirigida a los Reyes Magos.

—Parece una carta normal y corriente… ¿Qué tiene de especial?

Melchor saca del sobre un papel bastante arrugado y se lo entrega a Lut.

—Léela tú mismo, a ver qué te parece —le dice.

Lut coge la carta, que está escrita en una letra grande y redonda. Se ajusta las gafas sobre la nariz y lee en voz alta:

Queridos. Reyes Magos. Este año
me he portado, bien, así que quiero
que me traigáis un caballo, de madera
un libro, de cuentos un tren, eléctrico un
balón, de fútbol una raqueta, de tenis
unos patines, de hielo una muñeca
y unas gominolas. Gracias, Alicia.

—¿Qué te parece, Lut? —pregunta Baltasar—. Es una carta muy rara, ¿no?

Lut vuelve a rascarse la cabeza. Hasta Mara y los camellos han dejado de hablar, y parpadean varias veces con sus largas pestañas.

—Sí que es rara —reconoce Lut—. Esta niña pide unos regalos muy extraños…

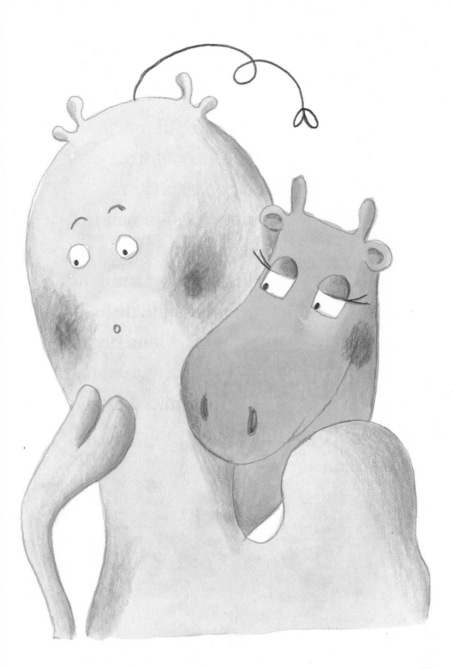

—¡Imagínate! —Gaspar coge la carta y la repasa con cara de susto—. Un caballo… Eso ya es pasarse un poco, ¿no te parece? Pero no se conforma con eso… ¡También quiere un libro de madera! ¿De dónde vamos a sacar nosotros un libro de madera?

—Y, por si eso fuera poco, también quiere un tren de cuentos —añade Melchor—. ¡Menuda cara! Quiere un tren entero lleno de cuentos para ella solita. No le basta con un vagón, no… ¡Un tren entero!

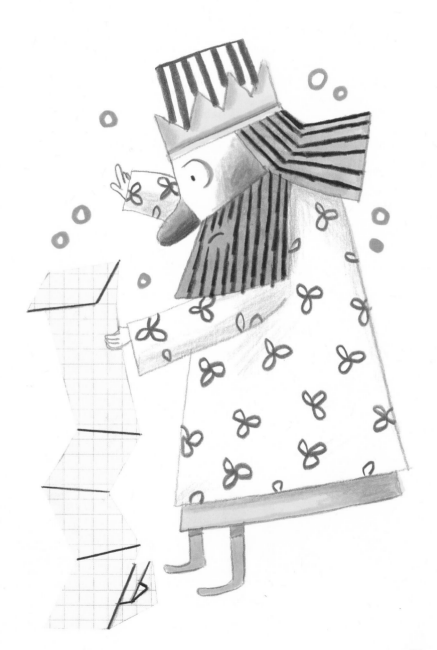

—¿Y qué me decís del balón eléctrico? —pregunta Baltasar—. ¿Dónde se ha visto un balón eléctrico? Supongo que querrá que bote él solo, para no tener que molestarse en darle patadas... ¡Qué lista!

Gaspar vuelve a repasar la carta.

—Y luego está la raqueta de fútbol —dice—. ¿Cómo es una raqueta de fútbol? Yo no he visto ninguna en mi vida. Al fútbol no se juega con raqueta, que yo sepa…

—¡A lo mejor es una nueva moda! —suspira Baltasar—. Los fabricantes de juguetes siempre están inventado modas nuevas. Nos vuelven locos…

—Ya, pero, si fuese una moda nueva, habría otros niños que pedirían lo mismo. Y yo no he visto que nadie pida «una raqueta de fútbol» en ninguna otra carta.

—Es una niña muy original —gruñe Melchor—. También quiere unos patines de tenis. ¡Me gustaría mucho ver a esa niña jugando al tenis con patines! Seguro que es todo un espectáculo.

—Bueno, y para terminar quiere una muñeca y unas gominolas de hielo —dice Gaspar—. ¡Creo que nos confunde con Papá Noel! ¿Es que no sabe que nosotros no vivimos en el Polo Norte, sino en el desierto de Oriente? Allí hace calor hasta en invierno, y una muñeca de hielo se fundiría en pocos minutos.

Los tres reyes miran a Lut desconsolados. No les gusta tener que negarles a los niños lo que piden en sus cartas. Pero claro, cuando las cartas no son razonables, no les queda otro remedio… En esos casos, la costumbre les obliga a regalar carbón y solo carbón.

—Yo creo que aquí hay un error —dice Lut, pensativo—. Puede que esa niña se haya equivocado al escribir su carta.

—Eso creemos nosotros también —contesta Gaspar, devolviéndole la carta a Lut—. Por eso hemos venido a verte… Tú eres el mago de las palabras. Pensamos que, quizá, podrías averiguar si esa niña tiene algún problema con las palabras. A lo mejor, no ha escrito lo que realmente quería escribir.

Lut vuelve a leer la carta, esta
vez en voz baja. De pronto, se le ilumina
la cara. ¡Ha descubierto la raíz del
problema!

—Tienes razón, Gaspar. Esta niña no ha escrito lo que realmente quería escribir. ¿Y sabéis por qué?

Los tres reyes, los tres camellos y la dromedaria azul lo miran asombrados.

—No. ¿Por qué? —pregunta Melchor, hablando en nombre de todos.

Lut agita la carta en el aire.

—El problema es que esta niña ha colocado mal los puntos y las comas. Seguramente no sabe usarlos bien todavía, y los ha puesto de cualquier manera. Esperad, usaré mi magia para arreglar este desastre. Mara, por favor, ¿me das mi varita?

La dromedaria azul se acerca a Lut y le da un lápiz de madera que estaba mordisqueando. A Mara le encanta mordisquear la varita en forma de lápiz de Lut, sobre todo cuando se transforma en dromedaria.

Lut agita la varita-lápiz sobre la
carta y dice las palabras mágicas:
—¡Vamos, signos de puntuación,
cambiad ahora mismo de posición!

Al instante, los puntos y las comas saltan del papel y se quedan flotando en el aire, pequeñitos y dorados.

Después de bailar en el aire durante un rato, van volviendo uno tras otro a la carta. Esta vez, se colocan en el lugar que realmente les corresponde.

Lut, el mago de las palabras, examina el resultado con atención. Al terminar sonríe muy satisfecho.

—Creo que hemos resuelto el problema —anuncia—. Escuchad, os leeré cómo ha quedado la carta después de colocar en su sitio los puntos y las comas:

Queridos Reyes Magos: Este año
me he portado bien, así que quiero
que me traigáis: un caballo de madera,
un libro de cuentos, un tren eléctrico,
un balón de fútbol, una raqueta de tenis,
unos patines de hielo, una muñeca y
unas gominolas. Gracias, Alicia.

Cuando Lut termina de leer,
los tres reyes empiezan a aplaudir,
entusiasmados.

—¡Así que era eso! —exclama
Baltasar—. Lo que la niña quiere es
un caballo de madera. Un caballo de
madera… ¡Eso es fácil de conseguir!

—Y un libro de cuentos, y un tren
eléctrico… ¡Son cosas muy normales!
—dice Melchor—. Un balón de fútbol,
una raqueta de tenis, unos patines de
hielo… ¿Qué más?

—Una muñeca y unas gominolas
—le recuerda Mara.

—¡Una muñeca y unas gominolas!
—repite Melchor sonriente—. ¡Qué fácil!
¡Le llevaremos todo lo que ha pedido!

Los tres reyes abrazan a Lut uno tras
otro.

—Gracias, amigo —dice Baltasar—.
Sin tu ayuda, esa niña se habría
quedado sin regalos... ¡Pobrecilla!

—Espero que el año que viene
haya aprendido a colocar los puntos y
las comas —contesta Lut alegremente—.
¡Así, no volverá a tener problemas!

—¿Y vosotros? —pregunta
Melchor—. ¿Ya habéis escrito vuestras
cartas? Si las tenéis preparadas, podéis
dárnoslas ahora. Es más cómodo que
ir a echarlas al buzón.

Lut y Mara se miran.

—¿Tienes tu carta escrita, Mara?
—pregunta Lut—. Yo sí tengo la mía.

—Yo también —contesta la
mascota—, pero quiero cambiar una
cosa. Esperad un momento…

Mara se aleja trotando hacia el
interior de la casa. Regresa pocos

minutos más tarde, con las dos cartas
en la boca.

—Aquí están —dice—. Estoy
deseando que llegue el seis de enero...

Baltasar le guiña un ojo.

—¡No te fallaremos! —asegura—.
A no ser que te hayas equivocado al
colocar las comas, claro...

Todos se echan a reír. Los reyes y sus camellos se despiden. Mara los observa alejarse con una maliciosa sonrisa. Sigue transformada en una dromedaria, aunque, ahora, su joroba y su cola se han vuelto moradas.

—¿Qué les has pedido? —le pregunta
Mara a Lut—. ¿Lo de siempre?

—Lo de siempre —suspira Lut—;
una varita nueva… La que tengo está
hecha un asco. Deberías dejar de
mordisquear mis varitas, Mara. Se
estropean en seguida.

Mara se pone a mirar al cielo y a
silbar, haciéndose la despistada.

—Oye, y tú ¿qué les has pedido?
—le pregunta Lut—. ¿Algún juguete? ¿Un
libro?

Mara sigue mirando al cielo.

—Oh, al final he cambiado de opinión. Les he pedido un balón eléctrico.

—¿Un balón eléctrico? —repite Lut, asombrado—. Mara, los balones eléctricos no existen… ¡Esa niña lo pidió por equivocación!

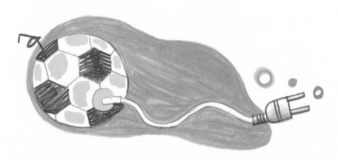

—Me da igual —contesta Mara, encogiéndose de hombros—. Es una idea estupenda. Un balón eléctrico… Si no existe, debería inventarse. Y estoy segura de que los Reyes Magos harán un pequeño esfuerzo, en agradecimiento por tu ayuda… Después de todo, ¡ellos también son magos!

Lut menea la cabeza, y se le escapa una sonrisa.

—Te has pasado, Mara. Tienes suerte de que los Reyes Magos sean tan buenas personas… Seguro que tu broma les hace gracia. Y, a lo mejor, hasta consigues tu balón eléctrico. ¡La noche del seis de enero es mágica, y nunca se sabe lo que puede pasar!

PIZCA DE SAL

Otros títulos de la colección

Los tres cerditos y el inspector

Blancanieves en la ciudad

Un cocodrilo misterioso

El mapa del bosque

Los duendes del otoño

Ana Alonso

Una carta muy rara

ANAYA

Contenido

Los signos
de puntuación

Actividades

Refuerzo: 1 y 2
Interdisciplinar
con Plástica: 2

1 Para aplicar lo aprendido

**1 La colocación de los puntos y las comas puede cambiar
el significado de las frases. Fíjate en estas dos:**

a) Juan encontró amigos, gente buena y agradable.

b) Juan encontró, amigos, gente buena y agradable.

Rodea con un círculo la frase en la que Juan se dirige a
sus amigos. ¿Por qué lo sabes?

2 Dibuja en los recuadros la escena que describe cada frase.

a) En el parque había ancianos, árboles, señoras paseando a sus perros, patinadores.

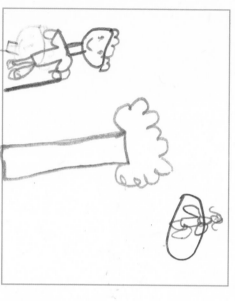

b) En el parque había ancianos árboles, señoras paseando a sus perros patinadores.

Contenido
El adjetivo

Actividades
Refuerzo: 1 y 2

© Grupo Anaya, 2010

2 Para expresarse por escrito

1 Repasa el cuento y completa las frases:

a) El papel de la carta de Alicia está muy Arrugado

b) La carta está escrita con letra grande y

Redonda

c) La dromedaria Mara tiene largas pestañas.

d) Los reyes empiezan a aplaudir entusiasmados

e) La joroba y la cola de Mara se han vuelto moradas

f) La noche de Reyes es Magica

2 Utiliza las palabras que has añadido en las frases anteriores y escribe con ellas frases completas inventadas por ti.

a) Esto papel sta arrugado

b) Mi letra es grande y redonda

c) Mis piernas son largas

d) Mis papas estan intusiosmados

e)

f)

Nombre: _____

PIZCA DE SAL

Contenido
Los signos
de puntuación

Actividades
Refuerzo: 1, 2 y 3

3 Para comprender lo leído

1 Contesta brevemente a las siguientes preguntas sobre lo que sucede en el cuento:

a) ¿Por qué acuden los Reyes Magos a casa de Lut?

b) ¿Qué hace Lut para ayudar a los Reyes Magos?

2 ¿Recuerdas qué regalos pedía realmente Alicia a los Reyes Magos? Anótalos aquí.

3 ¿Qué regalo pide Mara a los Reyes Magos al final del cuento? ¿Crees que se lo traerán? Explica tu respuesta.

Contenido

Los signos
de puntuación

Actividades

Refuerzo: 1 y 2

Ampliación: 3

4 Para pensar y relacionar

1 Coloca las letras que faltan en las palabras:

Mara es una ma ☐ co ☐ a má ☐ ica.

Le gusta ca ☐ biar de forma. Unas ☐ eces se

pare ☐ e a un pe ☐ o y otras a un coco ☐ rilo.

2 Ordena la frase:

Lut y Mara a ayudar se a la dedican gente que problemas
tiene palabras con las.

....

....

3 Escribe una frase con cada uno de los siguientes pares de palabras:

a) Mara / camellos

b) Carta / patines

c) Estrellas / mago

d) Jardín / Reyes

Nombre: _____

5

Para expresarse por escrito

1 Escribe aquí tu carta a los Reyes Magos. Intenta colocar correctamente los puntos y las comas.

Contenido

Los signos
de puntuación

Actividades

Complementarias: 1 y 2

2 **Pide a tu profesor/a o a tus padres que revisen tu carta.**

a) Una vez revisada, pásala a limpio en un folio en blanco o en papel de carta. Ahora puedes adornarla con dibujos y colorearlos.

b) Después, mete la carta en un sobre (pídeselo a tu profesor/a o a tus padres). También puedes hacer dibujos en el sobre.

Contenido

Vocabulario navideño

Actividades

**Para realizar
en equipo:** 1 y 2
Ampliación: 1
Interdisciplinar
con Música: 1

Complementaria: 2

6 Para aprender a aprender

1 Aprende con tus compañeros este villancico:

Ya vienen los Reyes
por los arenales,

ya le traen al Niño
muy ricos pañales,

ya le traen al Niño
muy ricos pañales.

*Pampanitos verdes
hojas de limón
la Virgen María
Madre del Señor.*

Ya viene la vieja
con el aguinaldo,

le parece mucho,
lo viene quitando,

le parece mucho,
lo viene quitando,

*Pampanitos verdes
hojas de limón
la Virgen María
Madre del Señor.*

© Grupo Anaya, 2010

2 Formad grupos en clase. Cada grupo aprenderá una estrofa de este poema de Amado Nervo. Así podréis recitarlo luego en clase formando un belén viviente.

Nochebuena

Pastores y pastoras,
abierto está el edén.
¿No oís voces sonoras?
Jesús nació en Belén.

La luz del cielo baja,
el Cristo nació ya,
y en un nido de paja
cual pajarillo está.

El niño está friolento.
¡Oh noble buey,
arropa con tu aliento
al Niño Rey!

Los cantos y los vuelos
invaden la extensión,
y están de fiesta cielos
y tierra... y corazón.

Contenido

Vocabulario navideño

Actividades

Ampliación
y Educación
en valores: 1 y 2

Extraescolar,
interdisciplinar
con Plástica: 3

7 Para experimentar

1 ¿Qué platos típicos de Navidad conoces? Haz una lista. Explica aquí cuál cuál de ellos es tu preferido y por qué.

2 ¿Tu familia o tú procedéis de otro país? Cuenta a tus compañeros qué se come allí en Navidad, o en otras fiestas típicas.

3 **Pide ayuda a tus padres para hacer en casa esta receta de Galletas de Pasas típica de Navidad. Luego, dibuja en una cartulina algunos de los ingredientes y de los pasos que has seguido para hacer la receta.**

Ingredientes:

- 1/2 cucharadita de Bicarbonato de Sodio • 2 cucharadas de leche
- 1 taza de azúcar • 1 huevo • 1/2 taza de mantequilla • 1 taza de pasas
- 1 y 3/4 tazas de harina.

Preparación:

• Calentar el horno a 175 ° C y untar con mantequilla una fuente para hornear • Mezclar el bicarbonato con la leche, añadir las pasas y dejar aparte • Mezclar en un tazón el azúcar con el huevo y la mantequilla • Añadir la harina y la leche con las pasas hasta formar una masa densa • Extender la masa con un rodillo y cortarla con un vaso formando círculos • Hornear unos 5 minutos.

Contenido
Vocabulario navideño

Actividades
Ampliación: 1, 2, 3

**Educación
en Valores:** 2 y 3

8 Para expresarse oralmente

1 Todas estas cosas están relacionadas con la Navidad.
Explica a tus compañeros qué es cada una de ellas.

Turrón

Árbol de Navidad

Belén

Cabalgata

Villancico

Zambomba

Pavo

Papá Noel

Ángel

Nochebuena

Nochevieja

Roscón

2 Cuenta a tus compañeros cosas relacionadas con la Navidad que te gusten especialmente.

3 ¿Recuerdas cómo celebraste la Navidad o la fiesta de los Reyes Magos el año pasado? Cuéntaselo a tus compañeros y, después, escucha las historias de los demás.

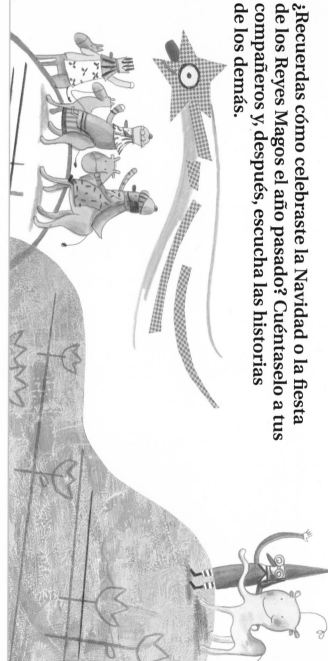

Nombre: _____

PIZCA DE SAL

Contenido
Vocabulario navideño

Actividades
Ampliación: 1 y 2

9 Para estimular la creatividad

1 Invéntate una conversación entre la mascota Mara y el camello. Escribe en los bocadillos lo que dice cada uno.

2 Inventa una historia en la que aparezcan las siguientes palabras:

reyes • roscón • quemarse • asustado • camión de bomberos

Nombre: _____

10

Para interpretar la información

1 **¿Cómo se celebra la Navidad en otras partes del mundo? Busca información (elige un lugar con costumbres diferentes a las tuyas y anota aquí cómo la celebran). Comenta con toda la clase las distintas tradiciones.**

La Navidad en...

PIZCA DE SAL

Contenido

Vocabulario navideño

Actividades

Para realizar
equipo: 1 y 2

© Grupo Anaya, 2010

2 **Un cuento de Adviento.** Desde el día 1 de diciembre, empezamos en clase a escribir entre todos un cuento de Navidad. Empiezas tú, o uno de tus compañeros escribiendo **dos frases** de la historia. Al día siguiente, otro niño escribe otras dos frases, y así hasta el día de las vacaciones. Ese día, se lee el cuento completo en clase.

Escribe aquí tus **dos frases** y realiza al lado un **dibujo** acerca de ellas.

Ana Alonso
Una carta muy rara
Ilustraciones de Antonia Santolaya